Une tonne de tartes!

Robert Munsch

Une tonne de tartes!

Illustrations de
Michael Martchenko

Texte français de
Christiane Duchesne

Éditions
SCHOLASTIC

Les illustrations de ce livre ont été réalisées à l'aquarelle
sur du carton à dessin Crescent.

La conception graphique de ce livre a été faite en QuarkXPress,
en caractère Binny Old Style 19 points.

Données de catalogage avant publication de la Bibliothèque nationale du Canada
Munsch, Robert N., 1945-
[More pies! Français]
Une tonne de tartes!

Traduction de: More pies!
ISBN 0-7791-1387-X

I. Martchenko, Michael II. Duchesne, Christiane, 1949-
III. Titre. IV. Titre: More pies! Français.

PS8576.U575M5814 2002   jC843'.54   C2002-901253-8
PZ23.M86De 2002

ISBN-13 978-0-7791-1387-3

Édition publiée par les Éditions Scholastic, 604, rue King Ouest,
Toronto (Ontario) M5V 1E1 CANADA.

9 8 7 6 5   Imprimé à Singapour   09 10 11 12 13

Quand Samuel se lève ce matin-là,
il a vraiment très faim.

Il descend l'escalier et mange
un bol de céréales à toute vitesse.

*Crounch, crounch, crounch,
crounch, crounch,
GLOUP!*

— Maman, j'ai vraiment très faim!
Est-ce que je peux en avoir encore?
— Bien sûr, répond sa maman.
Tu es un petit garçon en pleine
croissance et tu dois manger.
La maman de Samuel lui sert alors
un autre bol de céréales, deux laits
frappés et une pile de crêpes au
sirop, qu'il dévore à toute vitesse.

*Crounch, crounch, crounch,
crounch, crounch,
GLOUP!*

— Maman, j'ai encore vraiment très, très faim. Est-ce que je peux en avoir encore?

— Bien sûr, répond sa maman. Mais après, ce sera assez.

La maman de Samuel prend un énorme bol et le remplit de céréales. Elle lui sert aussi trois laits frappés, deux fois plus de crêpes au sirop et un poulet rôti, que Samuel engloutit à toute vitesse.

Crounch, crounch, crounch, crounch, crounch, GLOUP!

— Maman, j'ai encore vraiment
très, très, très faim. Est-ce que je peux
avoir sept poulets rôtis?

— Sept poulets rôtis! crie sa maman.
Assez, c'est assez! Tu n'auras plus rien
à manger jusqu'au dîner. Va jouer
dehors!

Samuel sort et se roule dans l'herbe en hurlant :

« *J'ai faim!*
    J'ai faim!
        AU SECOURS!
            J'ai faim! »

Le petit frère de Samuel arrive aussitôt en courant.

— Samuel, dit-il, si tu as tellement faim, tu devrais aller au parc pour t'inscrire au concours de mangeurs de tartes.

Samuel saute dans l'autobus.
Direction : le parc!

Sitôt rendu, Samuel se présente au concours de mangeurs de tartes.

— Je veux une tonne de tartes! s'écrie-t-il.

— Mais tu n'es qu'un enfant! répond le juge. Rentre chez toi.

Assis à une longue table se trouvent
déjà un pompier, un bûcheron et un
ouvrier.

— Laissez donc ce petit manger
une tarte, dit l'ouvrier. Ça ne fera de
tort à personne.

Samuel grimpe sur une chaise
pendant que le juge sert à chacun
une tarte aux bleuets.

« Un, deux, trois… mangez! » lance
le juge.
Ils avalent leur tarte à toute
vitesse.

Crounch, crounch, crounch,
crounch, crounch,
GLOUP!

Tout à coup, le bûcheron commence
à se lamenter :
— Oh, mon bedon! J'ai mal au bedon!
Il vire au violet et s'écroule sous
la table.

— Tu as bon appétit, Samuel, dit le juge, mais tu as sûrement le ventre plein! Tu n'es qu'un enfant.

— Je n'ai plus très faim, mais je mangerais bien encore quelques tartes.

Le juge sert alors deux tartes aux pêches à chacun et donne le signal du départ.

« Un, deux, trois… mangez! »

Ils dévorent leurs tartes à toute vitesse.

Crounch, crounch, crounch, crounch, crounch, GLOUP!

Tout à coup, le pompier commence à se lamenter :

— Oh, mon bedon! J'ai mal au bedon!

Il vire au vert et s'écroule sous la table.

21

— Je n'en crois pas mes yeux, dit le juge.
Il sert alors trois tartes aux cerises à
chacun et donne le signal du départ.
« Un, deux, trois... mangez! »
Samuel et l'ouvrier s'empressent de
dévorer leurs tartes.

Crounch, crounch, crounch, crounch, GLOUP!

Tout à coup, l'ouvrier commence à se lamenter :
— Oh, mon bedon! J'ai mal au bedon!
Il vire au bleu et s'écroule sous la table.

— Incroyable! s'exclame le juge.
Samuel remporte le premier prix :
la TARTE D'OR!

Samuel s'empare de sa tarte géante,
saute dans l'autobus et rentre à la
maison...

Dans la cuisine, sa maman l'attend.

— Samuel, je sais que tu as vraiment très faim. Je t'ai préparé des tartes…

— Des tartes? Ah non! Mon bedon! J'ai mal au bedon!

Il vire au vert et s'écroule sous la table.

Mais le petit frère de Samuel se réjouit :

— Miam! Des tartes!

Et il dévore les tartes à toute vitesse.

Crounch, crounch, crounch, crounch, crounch, GLOUP!